KB076056

어쩌다 바디프로필

허 윤 정

어쩌다 바디프로필

발행	|	2024년 3월 30일
저자	|	허윤정
디자인	|	어비, 미드저니
편집	|	어비
펴낸이	|	송태민
펴낸곳	|	열린 인공지능
등록	|	2023.03.09(제2023-16호)
주소	|	서울특별시 영등포구 영등포로 112
전화	|	(0505)044-0088
이메일	|	book@uhbee.net

ISBN | 979-11-93116-81-4

www.OpenAIBooks.shop

어쩌다 바디프로필

허 윤 정

목차

제 2장 꾸준함의 힘

바디프로필을 찍기로 하면 달라지는 것들
변수가 생기면 방법을 찾으면 됩니다 .
날짜가 다가올수록 식단도 바뀝니다.
이럴 생각은 아니었는데 점점 빠져듭니다.
여행도 나를 멈추게 하지는 못했습니다.
나도 코로나와 독감은 막지 못했습니다.

제 3장 ISTJ

나의 MBTI는 ISTJ입니다.
바디프로필 촬영 후 루틴이 필요합니다.
어쩌다 바디프로필 VS 결국엔 바디프로필

제 4장 바디프로필 왜 찍으라고 하나요?

건강한 몸은 기본입니다.
예쁜 사진이 남습니다.
파이프라인 하나가 추가됩니다.
자신감이 1만큼 상승되었습니다.
루틴이 생깁니다.

마치면서

어쩌다 바디프로필 vs 결국엔 바디프로필

프롤로그

'바디프로필'이라고 하면 여러분은 어떤 생각이 드시나요? 저에게는 '바디프로필'이라는 단어를 들으면 피트니스 대회에 나오는 우락부락한 몸이 연상되었던 적이 있습니다. 태닝을 하고 온몸에 오일을 발라 번질번질한 모습한 몸에 어깨와 허벅지에 잔뜩 힘을 주고 서 있는 모습.

지금의 저에게 '바디프로필'은 건강한 생활과 건강한 몸을 연상하게 합니다. 내가 직접 해보니, 우락부락한 몸이 아닌 나의 몸을 조각하는 과정이었어요. 내 몸에서 덜어내야할 지방들을 깎아내고, 좀 더 부각하면 좋을 근육들을 만들어 가는 과정. 나의 프로필을 하나 더 추가한다는 느낌이었어요. 나를 알리는 프로필의 초점이 얼굴보다는 몸에 더 집중되어 있다는 것이 차이라면 차이랄까요?

지금은 주변에 바디프로필을 찍는 사람들이 많아진거 같아요. 자기계발을 하는 사람들에게는 한 번은 넘어야할 필수코스가 되어버린 것도 같습니다. 제가 바디프로필에 관심이 많아서 유독 주변에 그런 분들이 많이 보이는 것일 수도 있겠네요.

어느새 저는 바디프로필 전도사가 되었습니다. 바디프로필 뿐 아니라 헬스장 운동과 근력운동도 주변에 적극 권하고 있습니다. 내가 해보니까 좋은 점이 보이고, 좋은 점들이 많으니까 자꾸 내가 아끼는 사람들과 함께 하고 싶은 마음이 들더라구요.

누군가에게 강하게 푸시하는 성격이 못되서 한두 번 권해보고 안되면 돌아서지만, 그럴 때마다 아쉬운 마음이 너무 컸습니다. 혹시 내가 바디프로필을 준비하고 촬영한 과정을 책으로 낸다면 내가 아끼는 이들이 조금 더 내 말에 귀기울여주고 함께 해주지 않을까 하는 마음이 들었습니다.

책을 읽는 분이 내 지인이 아니더라도 좋습니다. 인생에 한 번쯤 바디프로필을 찍어보라고 권해보고 싶은 마음에 책을 쓰게 되었습니다. 어쩌다 바디프로필. 아니 인생에 한 번은 반드시 바디프로필!이라고 강추합니다.

저자 소개

딱히 잘 하는 것은 없지만, 딱히 못하는 것도 없는 어중간한 상태로 인생 2막을 시작하는 프로수강러입니다.

세상 오만 가지에 관심을 두고 찔러보지만 깊이 파고 들지는 못하는 오지라퍼. 그럼에도 의외로 꾸준하게 유지하는 것들이 많은 조금은 난해한 캐릭터입니다. 누구나 부캐 하나씩은 가지고 있겠지만, 저는 10개도 모자랄 정도로 여기저기 관심이 많습니다. 원씽이 중요하다는데, 선택과 집중을 해야만 한다는데, 저는 무엇 하나 골라서 그것에 집중하는 것이 참 어렵습니다. 어쩌면 선택 장애인지도 모르겠습니다.

아주 어렸을 때는 뜨개질과 십자수를 즐겨 했고, 집 밖으로 거의 나가지 않고 책을 읽거나 일기를 끄적거리는 것을 좋아했습니다. 언젠가부터 친구들과 어울려서 밖으로 나가는 시간이 많아졌고, 사진이 좋아졌습니다.

고등학교에서 우연치 않게 아마추어 무선 (HAM) 활동을 하게 되어 한동안은 무선통신에 심취해 있었고, 영어 학원과 일어, 중국어 학원을 두드리고 심지어 스페인어도 한 달 배웠습니다.

직장인 초반에는 친구들과 술마시는 것 외에는 별다른 취미 생활이나 배움을 쫓지는 않았던거 같아요. 그러다 어느 순간 다이어트를 해야겠다고 마음 먹고 극강의 다이어트에 빠져들었고, 다이어트에 관심이 생기면서 다양한 운동을 접하게 되었습니다. 달리기, 자전거, 헬스장, 복싱, 스윙댄스까지. 스윙댄스는 운동이기보다 별개의 취미활동이 맞겠네요. 요즘은 헬스장에서 운동하는 것을 꾸준히 하고 있습니다.

내가 SNS 에서 사용하는 닉네임을 보면, 내 책장에 꽂혀있는 책들을 보면 지금 내 관심사에 어디에 쏠렸는지를 알 수 있습니다. 코로나 시즌에는 주식과 부동산에 혹하여 관련 책자들을 수집하였고, 어느 순간 투자는 시들해지고 드로잉에 관심을 갖기 시작했습니다. 코로나 전에 잠시 캘리그래피를 열심히 배웠던 적도 있네요.

최근에는 친구들과 보홀에 스쿠버 다이빙을 하기 위한 투어도 다녀왔습니다. 취미라기 보다는 친구들과 함께 여행을 하는 것에 의미를 두었는데, 조금씩 욕심이 생기기 시작했습니다.

요즘은 운동을 꾸준히 하고 있고 상단과 상세페이지 디자인, 워드프로세스, 챗GPT 같은 신기술(?)에 빠져 있습니다. 그리고 어쩌다 이렇게 책까지 쓰게 되었습니다. 어쩌다 바디프로필? 어쩌다 책! 이 되어 버렸네요.

맞습니다, 저는 프로수강러입니다. 강의료 기부로 기네스북에 도 오를 정도입니다. 하지만 멈출 수가 없습니다. 한 때 이런 내 모습에 머리카락을 쥐어 뜯기도 했지만, 요즘은 그 어느 것 하나가 헛투르지 않을 수도 있다는 생각이 듭니다. 생각지도 못한 곳에서 연결의 고리가 나타나거든요. 제가 조금만 더 깊이 공부한다면 분명 어딘가에서 좋은 결실을 맺을 것이라는 믿음이 생겼습니다. 근자감이라고 한다해도 어쩔 수 없습니다. 저에게는 그 연결과 결과가 절실한 시간이니까요.

중요한 것은 꺾이지 않는 마음, 미루지 않고 실행하기, 꾸준하게 이어가는 힘인 것 같습니다. 포기하지 않으면 결과가 나오겠지요. 인디언 기우제처럼요.

앞으로도 저의 호기심과 관심사는 계속 늘어날 전망입니다. 드럽도 배우고 싶고 드론도 배워서 멋진 영상과 사진을 남기고 싶습니다. 암벽등반도 해보고 싶고 탁구와 배드민턴을 배워 친구들과 시합도 해보고 싶습네요. AI를 이용해서 좀 더 멋진 이미지를 생성해내고 싶기도 하고요, 펜이나 물감을 이용한 그림도 그리고 싶습니다. 다시 부동산 공부를 해서 노후를 위한 투자는 기본적으로 해야겠죠?

저, 오지라퍼 맞습니다. 언젠가는 저의 오지랍이 전집처럼 책으로 나오길 희망해봅니다.

1장
또 다시 바디프로필을 찍기로 했습니다.

안찍은 사람은 있어도 한 번 찍은 사람은 없다고 하는 그 바디프로필, 그래서 나도 다시 한 번 찍기로 했습니다. 지난 번보다 좀 더 몸을 잘 조각해서 찍고 싶어서, 조금 더 잘 만들어서 찍을 수 있을 것 같아서. 어디서 뿜어져 나오는 자신감인지는 모르겠지만 그래도 다시 찍고 싶어졌습니다.

- 다시 살이 찌는 내가 싫었습니다만 유지어터로 버티기도 힘들어졌습니다.

나는 태어나서 쭉 건강한 모습으로 살아왔습니다. 키는 작으나 건강한 아이. 초등학교 때 전교생이 조회를 하면 나는 늘 맨 앞줄에 섰습니다. 키가 작은 나에게 아빠는 "너는 체육은 '가' 맞아도 되."라며 위로를 해주셨습니다. 나는 그냥 작은 정도가 아니고 아주아주 작아서 초등학교 6학년 건강기록부에 120츠의 키로 기록되어 있습니다. 당시 건강 상태를 가나다라로 펴시했는데 저는 늘 '다'나 '라' 사이를 왔다갔다 했습니다. 지금으로 표현하면 표준이거나 과체중 정도의 점수라고 생각됩니다.

다행히 중학교 때 30cm 가량 자라주었으나 체중은 늘 표준과 과체중 그 사이였습니다. 정말 뚱뚱한 친구에게는 살쪘다는 말 함부로 못하지만, 뚱뚱하다고 놀림받기 딱 좋은 몸이었지요. 특히 하체가 튼튼한 나는 늘 사이즈가 큰 옷을 헐렁하게 입었습니다.

그렇게 표준과 과체중 사이를 줄달이기 하던 어느 날, 독한 마음을 먹고 다이어트를 하게 됩니다. 낮에는 다이어트 식단을 지키기 위해 노력했습니다. 술 좋아하는 내가 술은 차마 끊지 못하고, 술을 마실 때는 안주를 먹지 않았고, 술을 마시고 늦게 귀가해도 동네 한 바퀴를 돌았습니다. 물론 약의 힘도 빌렸구요. 그렇게 극강(?)의 운동과 식단을 유지하고 46kg까지 몸무게를 줄여봤습니다.

하.지.만 나에게 이쁘다고 말해주는 사람은 없었습니다. 모두 한목소리로 살 좀 그만 빼라고 말했습니다. 엥? 뭐라고? 왜 이쁘다고 안해주는거야? 서운했지만 표현은 못했습니다.

당연히 46kg을 계속 유지하지는 못했습니다. 몸무게는 늘 오르락내리락 시소놀이를 했지만, 그렇다고 확 찌지는 않았습니다. 예쁘다는 소리를 듣지는 못했지만, 다시 살찌고 싶지 않았습니다. 옷의 사이즈를 다시 늘이고 싶지 않았습니다.

나름대로 유지어터라고 생각하며 생활했는데, 야금야금 살이 찌기 시작했습니다. 40대 초반까지 스윙댄스를 즐기면서 생활

체육인의 모습으로 지냈을 때까지는 어느 정도 유지했는데, 스윙댄스에서 멀어지고 어느 순간부터 다시 통통해지기 시작했습니다. 그렇다고 극강의 다이어트를 다시 할 의지는 없었습니다. 살은 찌기 싫고 다이어트는 하기 싫은 마음. 주변에서는 나이 살을 얘기했고, 우리 나이에 이 정도면 됐다고 입을 모아 얘기했습니다. '아, 나 이 정도면 되지.'라며 스스로 위안을 삼았습니다. 바지 사이즈를 늘여야하는데, 억지로 억지로 잠그며 입었습니다.

- 코로나로 다이어트를 다시 하게 되었습니다.

코로나가 지구를 멸망시킬 것처럼 유행하면서, 회사를 쉬게 되었습니다. 여행업에서 일하던 나는 하루 아침에 출근할 곳을 잃게 되었습니다. 출근할 곳이 사라지니 갈 곳도 없어졌습니다. 조촐하게 두 부부가 함께 사는 집에서 한 사람이 일을 하러 나가면 오롯이 나혼자 집에 남아 멍하니 앉아 시간을 보냈습니다. 누군가를 깨워서 학교를 보낼 일도, 밥 달라고 재촉하는 아이도 없는 집에서 손가락 하나 까딱하지 않으며 보내는 시간들이 늘어나면서 나의 체중도 야금야금 늘어났습니다.

유튜브를 보면서 홈트를 시도해보기도 하고, 외출할 일이 있으면 가능한 걷는 쪽을 선택했지만 몸에 붙은 지방이 제거될 정도의 운동량은 아니었습니다. 불규칙한 식사와 부족한 운동량. . 당연히 살이 찔 수 밖에 없는 환경이었던거죠. 이대로는 안되겠다 싶어서 결국 다시 헬스장을 찾았습니다.

나는 다시 살 찌는 것이 싫었고, 옷의 사이즈를 늘이고 싶지 않았으니까요.

- 나의 첫번째 바디프로필을 예약했습니다.

동네 헬스장에 등록을 하고 운동을 시작했습니다. 그렇게 운동을 시작하면서 바디프로필이 눈에 띄기 시작했습니다. 친구들을 꼬셔서 바디프로필 등록을 하고 준비를 하려 했지만, 생각처럼 운동을 하러 가지는 않았습니다. 당시 유튜브에서 핫하던 몇몇 채널을 통해 홈트로 몸을 만들자며 친구들과 영상을 공유하기도 했습니다.

어설프게 식단도 신경 써가며 바디프로필 준비를 했습니다. 네이버와 인스타그램을 검색해서 마음에 드는 스튜디오를 찾아 예약을 했습니다. 아무 것도 모르는 초자 3명이서 어설픈 준비를 시작했습니다.

당시에 헬스장에서 PT를 받기도 했는데, 트레이너와는 체중만드는 상담을 했지만 바디프로필에 대해서 얘기를 나누지는 않았어요. 스튜디오라든지 컨셉이라든지 의상 등등에 대한 얘기. 스튜디오 예약하고 촬영 준비하는 과정이 당연히 나의 일이라고 생각했기에 트레이너와 상의할 생각조차 못했던거 같아요.

그렇게 내 인생 첫 바디프로필을 촬영하게 될 줄 알았는데, 지인을 통해서 프리-바디프로필을 진행하게 되었습니다. 지인이 아는 사진 작가님과 스튜디오를 섭외해서 사진 찍어볼 수 있는 자리를 마련해 주었습니다. 생각보다 어렵지 않은 촬영이었고 결과물은 예상했던 것보다 훨씬 잘 나왔습니다. 덕분에 재미나게 예행연습을 할 수 있었습니다. 프리-바디프로필을 촬영한 후에 마음이 가벼워졌습니다.

사진 촬영을 며칠 앞두고 스튜디오에 문제가 생겼고, 급하게 취소해야만 하는 상황이 발생했습니다. 새로 스튜디오를 알아봐야하는데 그 과정이 너무 귀찮았습니다. 운동도 운동이지만 식사에 대한 스트레스도 컸기에 새로운 스튜디오를 알아보고 촬영일을 다시 잡는 과정이 번거롭게만 느껴졌습니다. 친구들도 이왕 촬영하기로 한거 한 번에 끝내기를 원했기에 예약되었던 스튜디오의 조건에 맞춰 촬영을 진행했습니다.

- 첫번째 바디프로필은 추억놀이로 마무리.

촬영은 일사천리로 진행이 되었습니다. 사진을 찍고 바로 그 자리에서 사진을 골라 후다닥 보정을 했고, 그 자리에서 우리 메일로 사진을 보내주었습니다. 후기를 보면 사진 원본을 받는 데 어느 정도 시간이 걸리고, 그 원본에서 사진을 고르면 보정본을 받는 데에 또 시간이 어느 정도 들어간다고 하던데, 우리는 하루에 모든 것이 끝났습니다.

친구들과 촬영하는 시간이 즐거웠기에 그 자리에서 사진을 고르고 보정을 하고 달라진 모습들을 보는 것이 신기하기만 했습니다. 당연히 뒤풀이 시간을 가졌고, 웃음 꽃이 피었습니다만, 시간이 조금 더 지난 후에 그 스튜디오가 바디프로필을 전문으로 찍는 곳이 아니라는 것을 알게 되었습니다. 좀 더 자세히 알아보지 않은 내가 원망스러울 뿐이죠. 이렇게 나의 첫 바디프로필은 그냥 추억쌓기 놀이로 마무리 되었습니다. 이건 뭐 프로필도 아니고 바디프로필도 아닌 참 애매한 촬영이 되어버렸습니다.

- 내 인생에 바디프로필은 다시 없을 줄 알았습니다.

그렇게 바디프로필의 추억을 뒤로 한 채 한동안 운동을 멈췄다가 다시 운동이 필요한 즈음에 외출을 나갔다가 새로 오픈하는 피트니스센터의 오픈 이벤트 전단지를 받았습니다. 조건을 보고 혹해져서 남편니에게 같이 다니자고 꼬셨습니다.

바디프로필이라는 것이 어떤건지 어림짐작하게 되었으면 된거지, 무슨... 이라고 생각했지만 어느 새 나는 두 번째 바디프로필을 예약하고 말았습니다. 이번에는 처음부터 PT 트레이너에게 바디프로필 계획이 있다고 말했고, 스튜디오도 추천해달라고 했습니다. 코치는 개인적으로 경험이 있는 곳은 아니지만 바디프로필로 핫한 스튜디오를 안내해주었습니다. 이번에는 좀 더 신중하게 스튜디오를 선정할 계획이었기에 트레이너에게 추천까지 받았지만, 그 핫한 스튜디오들은서 예약하기가 쉽지 않았고 하나도 친절하지 않았고 조금의 유드리도 없었습니다. 결국 스튜디오 예약을 했다가 환불금까지 내고 취소하게 되었고, 다른 스튜디오를 찾아 진행했습니다.

지난 번 추억을 함께 나눈 친구 한 명이 동참하였고, 남편니가 함께 촬영하여 원하던 커플 바프도 찍게 되었습니다. 우여곡절 끝에 찾은 스튜디오의 작가님은 친절했고 프로의 느낌이 풍겼고, 사진도 잘 찍어주시고 보정도 예쁘게 해주셨습니다. '이런게 바디프로필이지!'를 알게 되었던거죠. 처음 바프를 찍는 신랑은 식단을 하면서 그렇게 예민해지고 짜증을 내더니, 마지막에 아쉬웠는지 1년 후 다시 찍자고 먼저 제안을 했습니다.

Calvin Klein

그렇게 바디프로필을 찍은 후 식단은 바로 일반식으로 되돌아 갔고, 집에서 가깝지 않은 곳에 있는 피트니스센터에는 점점 등을 돌리게 되었습니다. 그리고 나의 몸은 다시 피트니스센터를 등록하기 전의 몸으로 돌아와 있었습니다.

- 헬스장을 찾아 떠도는 하이에나가 되었습니다.

피트니스센터의 등록기간이 끝나고 운동을 외면하던 어느 날 우리 부부는 다시 피트니스센터를 찾아 헤매는 하이에나가 되어 동네를 어슬렁 거렸습니다. 1년 등록한 헬스장은 트레이너가 여러 번 바뀌고 회원 관리가 제대로 되지 않아서 안좋게 떠나왔습니다. 결국 나중에 문제가 되어서 뉴스에 나왔다고 하는데, 빨리 떠나오길 잘 한 것 같아요. 어쨌든 운동은 해야겠는데, 어디를 가야하나. 옆동네, 옆옆동네까지 어슬렁 거립니다. 옆동네에 꽤나 유명한 유튜버로 활동하는 관장님이 운영하는 체육관에도 찾아가 봅니다. 몇 번의 피트니스 센터와 몇 분의 트레이너를 만나다보니 조금의 노하우가 생기는 듯도 합니다.

처음에는 금액과 샤워장, 운영 시간 정도만 확인하던 내가 이제는 질문도 늘었고, 체육관 여기저기 둘러보면서 기구도 체크합니다. 이래서 아는 것이 중요하고, 아는 만큼 질문도 달라지는가봅니다. 서너군데 피트니스센터를 둘러봤는데, 마지막 상담을 받은 곳이 완전 친절합니다. 그래서 마지막 상단이 된 것일 수도 있겠다 싶네요. 마음 속으로 "그래, 요기야!" 결정을 했습니다. 그렇게 겨울이 시작될 즈음에 새로운 피트니스 센터를 등록하고 새 마음으로 운동을 시작하게 되었습니다.

- 그저 유지어터가 되길 바랬을 뿐, 다시 바디 프로필을 찍을 생각은 없었습니다.

처음 상담해주셨던 코치님이 PT 맡아주시면 좋겠는데, 다른 분을 소개 받았습니다. 아침에 운동하길 원했기에 아침에 일찍 나오시는 코치님을 배정해주신 것 같습니다. 이런저런 이유로 결국 상담해주셨던 분이 PT를 진행해주시게 되었고, 그 코치님과 1년 넘게 운동을 같이 하고 있습니다.

코치님은 상담할 때처럼 매우 친절하셨고, 수업 내내 웃고

있지만 결코 물러서지 않는 분이셨습니다. 웃으면서 그 날의 수업 분량을 다 끝내고 마는 고수이셨던겁니다. 그리고 운동 때마다 동영상을 찍어서 운동 내용과 함께 보내주셨어요. 사진 좋아하는 저에게는 최상의 서비스였습니다. 그걸 1년이 넘도록 하고 계십니다. 운동 사진과 영상을 보는 재미가 나의 발목을 잡습니다. 그 사진과 영상으로 한 때 인스타에 열심히 올리기도 했는데 어느 순간 또 멈춰버렸습니다. 인플루언서 아무나 하는거 아니라는 것을 다시 한 번 느꼈습니다.

코치님과 운동하면서 다시 불어났던 몸무게 조금 줄이고 체형 조금 다듬으면서 천천히 운동하는 것이 처음의 계획이었습니다. 하지만 어느 순간 스멀스멀 바디프로필이 떠오르기 시작했습니다. 혼자 찍기는 싫고 친구도 이제는 그만 찍겠다고 하는데, 남의 편을 꼬셔야겠는데 어떻게 꼬시나. 자기가 다시 찍자고 했던 말은 까맣게 잊은거 같은데, 다시 식단 하라고 하면 못하겠다고 할 것 같은데. 그러다 커뮤니티를 운영 중이신 천재래곤 님이 부부바디프로필 프로젝트를 올려주신 글을 보게 되었습니다. 핫! 정말 어쩌나. 저 프로젝트가 딱인데, 저걸 어찌 참여하나.

THE M
FITNESS
PREMIUM FITNESS
더엠휘트니스

- 결국 다시 바디프로필을 찍기로 했습니다.

그렇게 기회를 엿보던 중에 하늘이 기회를 주셨습니다. 남편니는 빼도박도 못하고 바디프로필을 함께 찍기로 약속했습니다.

사실 부부바디프로필을 망설였던 건 촬영 전에 친구들과의 여행이 예약되어 있었기 때문입니다. 여행의 목적은 스킨스쿠버지만 먹을 것 좋아하고 술 좋아하는 우리가 그 자리에서 음식과 술의 유혹을 이겨낼 수 있을까? 여행과 촬영이 한 달 정도 시간 차이가 있으면 고민하지 않아도 되는데, 여행에서 돌아오면 일주일 후가 촬영이니 이건 고비라고 할 수 밖에 없습니다. 괜히 의미 없는 노력으로 끝나지는 않을까 걱정도 되구요.

하지 못할 이유는 백만 개지만 해야할 이유 한 가지를 찾는 건 어려운 법. 고민을 하다가 타이밍을 놓쳤지만 다행히 늦깍이 신청을 받아주셨습니다. (그러고 보면 이것도 하나의 습관인거 같아요. 생각하다 막판에 신청하고, 고민하다 타이밍 놓치고 후회하고.) 촬영은 12월 10일로 예정되어 있었고, 우리의 여행은 11월 24일로 잡혀 있었고, 바디프로필에 합류하기로 결정한 것은 7월말 쯤이었던거 같아요. 개운한 시작은 아니었지만 결국 이렇게 세 번째로 바디프로필을 도전하게 되었습니다.

2장
꾸준함의 힘.

바디프로필을 찍겠다고 하면 반응은 크게 두 가지로 나뉩니다. 할 수 있다고 응원을 해주는 팀과 나이 등을 이유로 반대를 하는 팀. 처음에는 여기저기 소문 내고 준비했지만, 지금은 딱히 소문을 내지는 않습니다. 가까운 지인 몇 명에게만 살포시 얘기할 뿐, SNS에 올려진 글을 보고 알게 되는 경우들이 많습니다. 특히 가족들에게는 따로 알리지 않습니다. 잘 이해하지 못할 뿐더러, 걱정하는 소리까지 듣게 되니까요.

- 바디프로필을 찍기로 하면 달라지는 것들

막상 바디프로필을 찍겠다고는 했는데, 조금 자신이 없기도 합니다. 매일의 식단 조절과 운동을 과연 내가 해낼 수 있을까? 막상 신청을 해놓고 나니 슬그머니 꼬리를 내리고 싶어집니다. 바디프로필을 한다고 해서 하루 아침에 운동량이 늘어나지는 않습니다. 120일 정도 여유가 있으니 조금씩 운동량도 늘이고 중량도 늘이고 식사도 조절해보기로 합니다.

가장 힘들었던 건 하루 두 끼 식사를 세 끼로 늘이는 것입니다. 오랜 시간 아침을 먹지 않았던 식습관 때문에 아침 점심

저녁을 시간 맞춰 꾸준히 먹는 다는 것이 쉽지 않았습니다. 지난 번에도 하루 두 끼 세 끼를 왔다갔다 하면서 식사를 했는데, 이번에는 조금 더 욕심이 생겨서 하루 세 끼를 지켜보기로 했습니다. 물은 하루 2리터씩 마시라고 하시는데, 일단 하루 1.5리터 정도로 도전합니다.

그 전에도 운동은 거의 매일 갔지만, 이제는 더 열심히 운동을 나가야합니다. 올 초에 갈비뼈에 금이 가서 2개월 정도 운동을 쉬었던 것을 빼고는 운동을 쉬지 않았습니다. 다만 이제는 매일 유산소 운동과 근력운동을 병행하게 되었습니다. 하루 운동하는 시간이 늘어나게 되었습니다.

술은 역시 끊지 못하지만, 마시는 회수나 양을 줄였습니다. 지난 번 바디프로필 때보다도 더 많이 줄였습니다. 회수도 양도. 덕분에 친구들과의 약속도 많이 줄었습니다.

촬영 3개월 전에는 엄마에게 당분간 가지 못한다고 연락을 드렸습니다. 식사하면 왜 안먹는지 걱정하실텐데, 또 촬영한다고 하면 잔소리 들을 꺼고, 그냥 안먹겠다고 하는 것도 불편해서 가능한 식사 자리를 만들지 않기로 했습니다.

그 외에는 집에서 지내는 내 생활에 큰 변화는 없었습니다. 약간의 식단 조절과 운동 시간의 증가, 음주량 소폭 감소, 그리고 약속 자제하기.

- 변수가 생기면 방법을 찾으면 됩니다.

그렇게 일상을 유지하고 있는 와중에 큰 변수가 발생했습니다. 갑자기 출근을 하게 되었습니다. 집에서 꽤나 멀고 대중교통 이용도 불편한 상황. 바디프로필을 포기해야하나 고민이 되었습니다.

며칠을 머리 속으로 이런저런 생각을 한 끝에 새벽 출근을 선택했습니다. 대중교통으로는 편도 2시간 30분, 왕복 5시간. 이건 도저히 불가능한 상황이니 자차를 이용해서 출퇴근을 하기로 합니다. 새벽 5시쯤 집에서 출발하면 6시쯤 회사 앞에 도착합니다. 그 시간에 문을 여는 곳은 오로지 헬스장 뿐입니다. 편의점도 24시간이 아니어서 7시에 문을 열고, 애용하는 스타벅스도 7시가 되어야 영업을 시작합니다.

나의 선택은 새벽운동입니다. 새벽 출근하여 운동하고 씻고 아침 먹고 출근하기. 마음은 그리 작정했지만, 과연 내가 매일 4시에 일어나서 출근을 할 수 있을까 걱정이 됩니다만, 걱정한다고 상황이 달라지는 것은 아니니 일단 시작해보고 안되면 다시 방법을 찾기로 합니다. 출근 다음 날 바로 회사 앞에 있는 피트니스센터로 가서 6개월로 등록을 합니다. 이벤트 기간이라 한 달을 더 받아서 총 7개월 등록이 되었습니다. 이제 PT 수업은 어쩌나 또 걱정이 하나 늘어납니다. 이미 기존 헬스장에 PT를 등록해 놓았는데 하나 더 등록하기에는 부담도 되지만, 짧은 시간 동안 새로운 코치님과 합을 맞출 수 있을지도 걱정이 됩니다. 그렇다고 퇴근 후 동네까지 가면 저녁 8시에나 수업이 가능할텐데, 차까지 막히면 수업에 지각할꺼고. 그 시간에 PT 까지 받고 들어가면 다음 날 너무 피곤할텐데. 내가 얼마나 대단한 촬영을 한다고 그건 좀 오바인듯 합니다.

PT 코치 두 분과 천재래곤님까지 세 분의 코치님을 두고 바디프로필을 준비하는 것도 부담스럽습니다. 그래도 혹시나 하는 마음에 무료서비스로 제공되는 PT 수업을 신청합니다. 혹시 코치님과 합이 잘 맞으면 10회 정도 신청하는 것을 고민했습니다. 바디프로필 찍기 전까지 회사 앞에서 코칭 받고 동네 피트니스센터는 조금 연기하는 방법도 생각했습니다.

하지만 그런 일은 일어나지 않았고, 결국 일주일에 한 번 동네에서 저녁에 PT 수업을 받게 되었습니다. 동네 코치님이 배려를 많이 해주셨습니다. 주중 5회는 회사 앞 피트니스 센터에서 새벽 운동을 하고 1회는 동네 피트니스센터에서 PT 수업을 받았습니다. 시작은 그랬습니다.

갑자기 생활 패턴이 바뀐 것은 바디프로필 때문이 아니고 출근 때문입니다. 새벽 4시 전에 눈을 뜨고 대충 출근 준비를 합니다. 세수도 하지 않고 양치질만 하고 바로 튕겨 나가면 좋은데 여전히 꼼지락 습관은 고쳐지지 않습니다. 일단 양치질을 하고 운동복을 입고 아침 식사를 준비합니다.

- 날짜가 다가올수록 식단도 바뀝니다.

닭가슴살, 구운 계란, 사과, 두유 등등. 다이어트 식단에 맞춰 식사를 준비합니다. 9월 중순부터 출근하게 되었는데, 아직은 한낮에 더워서 음식이 상하기 쉽습니다. 아이스팩을 담아서 보냉백에 도시락을 넣고 가지만 저녁까지는 불편합니다. 점심은 회사 구내 식당에서 먹고 저녁은 서둘러 집에 와서 먹습니다.

10월이 되면서 저녁 식사도 도시락으로 준비합니다. 식사할 곳이 마땅치가 않아서 매번 퇴근하는 차 안에서 식사를 합니다. 신호등에 걸릴 때마다 뭐 하나씩 입에 우겨 넣습니다. 퇴근길 차막히는 것이 다행스럽게 여겨집니다.

운동을 봐주시는 PT 쌤은 식사에 대해서는 크게 주의를 주지 않으시는데 바디프로필을 주관하시는 천재래곤님은 매일 매일 피드백을 해주십니다. 10월 중순이 지나자 아직도 구내 식당에서 일반식으로 식사를 하냐고 넌지시 한 말씀 남기십니다. 아~ 어쩌란 말이냐..

우연히 들른 파리바게트에 랩샌드위치가 눈에 띕니다. 빵가루 입힌 닭고기가 가운데 들어가 있고 주로 야채가 많이 들어가 있어서 마음에 듭니다. 이제 점심에는 랩샌드위치로 식사를 대신하는 경우가 많아졌습니다. 두부면을 콩국에 말아 먹기도 합니다. 하루 세 끼를 도시락으로 챙기는 일이 벌어졌습니다. 학창시절에도 안들고 다니던 도시락을 지금 그것도 하루 세 끼를 꼬박 챙겨 다녀야하다니, 짐이 두 배로 늘어납니다.

11월이 되면서 이제 라떼도 끊고 (미리 끊어야 했지만) 파리바게뜨 랩샌드위치도 끊어야 합니다. 식사는 닭가슴살과 구운달걀, 두부면과 콩물, 야채샐러드, 사과, 방울토마토, 고구마, 바나나 거의 이 정도 메뉴에서 돌고 돕니다.

- 이럴 생각은 아니었는데 점점 빠져듭니다.

여행 출발일이 다가올수록 코치님의 걱정도 높아만 갑니다. 정작 촬영하는 당사자들은 마음이 편합니다. 특히 우리 집 아저씨는 거의 무념무상입니다. 이러저러한 핑계를 대면서 운동도 자꾸 빼먹습니다.

식사는 하루 세 끼를 도시락으로 먹는데 그 중 2회는 차식입니다. 차에서 먹는 식사. 한 번은 사무실에서 먹기는 하는데 음식 냄새가 신경이 쓰여서 하루 세 끼를 차식으로 대신하는 날도 있습니다. 이제 닭가슴살도 저염식으로 바꿔야합니다. 양념 없는 저염식. 방울토마토도 바나나도 식단에서 제외됩니다. 여행을 가면 어차피 식단 조절이 어려우니 가기 전과 후에 조절을 하자는 두 코치님의 의견을 따릅니다.

운동에 대한 압박도 점점 높아집니다. 처음에는 저녁에 PT수업만 받고 집에 갔는데, 이제는 웨이트 후에 유산소 운동과 복근 운동을 필수로 해야합니다. PT도 주 2회로 늘였습니다. PT가 없는 날에는 퇴근 후 회사 앞 센터에서 운동을 추가로 하기도 합니다. 이럴 계획은 아니었는데, 어쩌다 보니 엄청 열심히 운동을 하는 사람이 되버렸습니다.

- 여행도 나를 멈추게 하지는 못했습니다.

짐을 싸는 순간에도 마음은 불편합니다. 여행을 빠졌어야 했나? 바디프로필을 무모하게 신청한 것은 아닌가? 과한 욕심을 부린 것은 아닌가? 아니, 바디프로필에 목숨 걸 것도 아닌데, 뭐 이리 심각해. 운동하고 식사 관리하고 그렇게 건강한 몸 만들면 된거지, 사진 좀 망치면 어때? 라며 스스로 위로도 해봅니다.

출발 전 결심은 새벽마다 일어나서 숙소 근처를 달리면서 유산소 운동을 하고 맥주도 1일1병으로 제안하는 것이었습니다. 식사 시간에도 최대한 탄수화물은 자제하고 단백질과 야채만 먹어야겠다고 생각했습니다. 물론 이런 다짐은 여행지에 도착한 첫 식사에서부터 무너졌지요. 더운 나라에서 시원한 맥주는 치명적인 매력을 뿜어냈고, 퓨전식의 첫 식사는 내 손을 멈추지 못하게 만들었습니다.

여행에서의 식사는 매일이 풍성했습니다. 임금님 수라상 같았습니다. 친구들이 워낙 먹을 것을 좋아하기도 하고, 양이 부족한 것을 좋아하지 않습니다. 그러니 매일 식탁은 맛있는 음식으로 가득합니다. 우리집 아저씨는 이미 바디프로필을 머리 속에서 지운듯 합니다. 보고 있으면 걱정과 한숨이 한바가지 입니다. 코치님이 걱정하는 소리가 환청처럼 들려옵니다. 저렇게 먹을 것 좋아하는 사람한테 내가 몹쓸 짓을 하고 있는 것 아닌가 죄책감이 들 정도입니다.

숙소에 캐리어 무게를 재는 저울이 있어서 아침에 일어나면 공복 상태에서 체중을 체크해봅니다. 다행스럽게도 크게 숫자가 올라가지는 않습니다. 우리집 아저씨도 생각보다 늘어나지는 않습니다. 이 상태라면 집에 가서 마지막 일주일 불태워 볼만하다는 계산이 나옵니다.

한국에 돌아와서 남은 일주일은 오히려 마음이 편했습니다. 도시락도 매일 같은 것을 준비했습니다. 어차피 먹을 수 있는 음식 종류가 많지 않기에 아침에는 사과와 구운 달걀과 고구마. 점심에는 야채샐러드와 저염닭가슴살, 아몬드브리즈. 저녁에는 구운 달걀과 고구마. 이 정도로 버텼던거 같아요.

그 와중에 힘들었던건 초콜릿이 왜 이렇게 땡기던지. 한두번 초컬릿바를 먹고, 3일 전에 라떼도 한 잔 마셨습니다.

일주일 동안 수분도 조절을 해야했습니다. 삼일 정도는 마시는 물의 양을 3리터 정도로 늘렸고 이틀은 4리터까지 마셨어요. 마지막 하루 반나절은 1.5 정도로 줄이고 촬영 하기까지는 단수에 들어갔습니다.

탄수화물도 거의 고구마와 사과로 제한했어요. 다행히 야채는 먹어도 된다고 하셔서 야채샐러드는 점심에 계속 먹었습니다. 오히려 촬영 당일 아침부터는 펌핑을 위해 탄수화물을 섭취하라는 코치님의 지시가 있었습니다.

집에서 출발하기 전 흰 쌀밥에 젓갈, 김으로 간단히 먹고, 촬영 2~3시간 전에 다시 한 번 흰 쌀밥에 젓갈, 김으로 식사해주고, 촬영 전에 초콜릿 먹고 들어가라며 자세한 지침을 내려주셨습니다. 그리고 촬영 전 근육 펌핑을 위해 해야할 기본 운동까지도 자세하게 알려주셨어요.

- 나도 코로나와 독감은 막지 못했습니다.

집으로 돌아가는 날이 다가오고 남은 일주일을 어떻게 보내야할지 고민해야하는 시간에 남표니가 콧물을 훌쩍입니다. 크게 마음에 담아두지 않고 마지막 날 새벽에 동네 달리기까지 시켰습니다. 비행기 잘 타고 무사히 집에 도착해서 수분조절을 위해 찜질방에 갔습니다. 찜질방에서 인바디를 체크하고 늘어나지 않은 체중에 기뻐하며 집으로 귀가했어요.

귀국 전에 콧물을 흘리던 남표니의 상태는 저녁이 되면서 점점 심각해졌고 결국 앓아 누웠습니다. 병원에 가서 코로나 확정 진단을 받았어요. 처음 코로나 확정 받았을 때를 생각하며 3~4일 가겠구나 생각했습니다. 코치님과 나는 발을 동동 굴렀죠. 본인도 조금 상태가 호전되면 코치님한테 가서 마지막 체크를 받겠다고 했습니다.

남표니는 끝내 헬스장에 가지 못했고, 코로나를 지나서 신종독감 판단까지 받았습니다. 여행 후 한 달 가까이 코로나와 감기로 지독하게 앓아 누웠습니다.

결국 부부바디프로필에 혼자 참여한 나는 남표니 몫까지 열심히 사진 찍고 최종으로 일반 프로필 사진까지 찍었습니다. 어차피 비용은 지불했고, 남펴니 못찍은 몫까지 내가 혼자 다 사용한거죠. 왜 하필 하는 마음이 들면서 부들부들 떨리기도 하고 아픈 사람에게 서운한 마음도 들었지만, 제일 힘든건 역시나 아픈 사람이겠죠. 알면서도 한동안 냉전기를 보냈습니다. 뭐, 바이러스 때문에 가까이 가지도 못했구요. 나한테 감기 옮으면 안되니까요 ^^;;

매번 컨디션을 묻는 코치님에게 민망할 정도로 나의 몸은 건강하게 잘 버텨주었고, 컨디션도 잘 유지가 되었습니다. 건강함에 늘 감사한 마음을 가져야 하는 것은 알지만 근육통도 잘 생기지 않고 식단 조절을 해도 별로 힘들어하지 않는 내 모습이 가끔 부끄러운건 왜일까요? 연약한 모습에 대한 동경이나 로망때문일까요?

3장
ISTJ의 바디프로필 촬영 그 후

시간은 흐르고 이제 촬영이 일주일 밖에 남지 않았습니다. 일주일 전부터 아니, 그보다 훨씬 전부터 촬영 이후의 계획이 머리 속을 맴돌았습니다. 이후 나의 루틴은 어떻게 될까? 나는 계속 새벽 운동을 하게 될까? PT 수업은 하게 될까? MBTI ISTJ의 성격이 그대로 나타나기 시작합니다.

- 나의 MBTI는 ISTJ입니다.

챗GPT에게 ISTJ의 특징에 대해 물어보았습니다. ISTJ는 내향형, 감각형, 사고형, 판단형의 약자로 재충전을 위해 혼자만의 시간이 필요하고 일상과 질서를 선호하며 논리와 객관적인 분석, 공정성을 중시하고 세계를 계획하고 조직하는 것을 좋아한다고 합니다. 구조, 일정, 명확한 규칙 및 기대치를 중요하게 생각한다고 하네요. 세부 사항에 세심한 주의를 기울이고 업무를 철저하게 수행하는 경향이 있다고 합니다. 또 새롭고 익숙하지 않은 상황에 직면할 때 어려움을 겪을 수도 있으며 자신이 알고 있는 것을 고수하는 것을 선호한다고 합니다.

챗GPT에게 ISTJ는 계획적으로 시간을 쓰는 것을 좋아하는지 물어보았습니다. 미리미리 플랜을 짜놓는 스타일인지도요.

아래는 챗GPT의 대답을 옮겨놓은 것입니다.

예, ISTJ는 일반적으로 체계적으로 시간을 보내는 것을 좋아하며 일반적으로 미리 계획을 세우는 경향이 있습니다. 그들은 종종 자신의 삶에서 세심하고 가치 있는 구조와 조직을 갖고 있습니다. 이들의 판단(J) 특성은 자신의 삶을 규제하고 관리하기 위해 계획되고 질서 있는 방식으로 살기를 선호한다는 것을 의미합니다. ISTJ는 작업에 대한 체계적인 접근 방식과 계획에 집중하고 실행하는 능력으로 유명합니다.

그들은 일반적으로 무엇을 기대해야 할지 알고 그에 따라 준비할 수 d있을 때 더 편안하고 통제력이 있다고 느낍니다. 계획과 구조에 대한 이러한 선호는 ISTJ가 개인 생활과 직업 생활 모두에서 매우 효과적이고 신뢰할 수 있도록 도와줍니다. 그러나 이러한 특성은 ISTJ가 이 틀에 완벽하게 들어맞을 수는 없다는 점을 기억하는 것이 중요합니다.

역시 마지막에 한 발 빼는 것을 잊지 않는 똑똑한 아이입니다. MBTI를 믿는 편은 아니지만, 가끔은 내가 그런 사람이구나 생각하게 하는 순간들이 있습니다.

- 바디프로필 촬영 후 루틴이 필요합니다.

평소에도 한두달 후 약속까지 미리 잡아놓는 편입니다. 머리속에 두세달 달력이 그려져 있지 않으면 불편합니다. 미리미리 필요한 약속을 잡아 놓고 그 안에서 내 생활을 조절해야 합니다. 어쩌다 그림이 흐트러지면 스트레스 지수가 매우 높아지는 편입니다. 결국에는 동굴을 찾아 들어갑니다. 지인들에게는 겨울잠을 잘 시간이 되었으니 한동안 찾지 말라고 말합니다.

사실 여행을 떠나기 전부터 바디프로필 이후를 생각했습니다. 바디프로필을 찍고 나면 내가 운동을 계속 하게 될까? 새벽출근을 유지할 수 있을까? 새벽에 회사 앞 헬스장에 가서 조금이라도 운동하는 생활을 유지할 수 있을까? 마침 동네 피트니스센터 PT도 다 끝나가는데, 내가 다시 PT를 등록하게 될까? PT를 등록하지 않으면 체육관에 주말에도 꾸준히 나갈까? 유지어터가 되기 위해서라면 동기가 너무 약한데. 운동을 하기 위해서 바디프로필을 다시 찍는 것도 좀 웃긴데...

계속 운동을 해야하는 이유와 루틴을 미리 만들어야 합니다. 그 생활이 유지될 때 나의 뇌가 안정적인 상태가 됩니다. 안그러면 답을 찾을 때까지 그 생각을 하겠지요.

4장
바디프로필 왜 찍으라고 하나요?

나는 왜 주변에 바디프로필을 추천하는 전도사가 되었을까요? 운동의 이유가 체력과 건강 그 두 가지면 충분할텐데 나에게는 충분하지 않은듯 합니다. 왜일까요? 설마 또 바디프로필을 찍고 싶어서? 명확한 이유가 필요한 것 또한 ISTJ의 특성 때문일까요?

- 건강한 몸은 기본입니다.

바디프로필을 찍기 위해서는 꾸준하게 운동을 해야합니다. 유산소 운동으로 지방을 제거하고 웨이팅 운동이나 유산소 근력운동으로 근육을 키워줍니다. 평소에 안쓰던 근육들을 사용하게 되어 뭉쳐있던 몸을 풀어주는 기회도 됩니다.

운동으로 신체가 건강해지기도 하지만, 식사 또한 조절하기에 몸이 건강해질 수 밖에 없습니다. 우선 정제된 탄수화물들을 멀리하게 됩니다. 가장 대표적으로 밀가루로 만드는 음식들을들 수 있습니다. 빵, 과자, 떡볶이, 부침 등이 있고 기름에 튀기는 음식도 자제해야합니다. 당분이 들어간 음식들도 멀리 해야합니다. 아이스크림, 초컬릿은 말할 것도 없고

설탕이 들어가는 음식들, 마지막에는 과일도 자제해야 하죠. 지나치게 맵고 짠 음식들을 기본적으로 먹지말아야할 음식에 속합니다. 그래도 한식은 양호한 편입니다. 약간의 밥과 김치 정도는 허용이 됩니다. 그래도 밥은 흰 쌀밥 대신 잡곡밥이나 현미밥을 추천합니다.

- 예쁜 사진이 남습니다.

예쁜 사진도 기본이 되겠네요. 열심히 운동하고 식단 조절하면서 만든 멋진 몸을 전문 작가님이 찍어 주시고 최후에는 보정까지 해주십니다. 사진을 보는 순간 "누구지?"할 만한 사진을얻을 수 있습니다.

- 파이프라인 하나가 추가됩니다.

지금의 저처럼 바디프로필을 경험으로 책을 쓸 수도 있겠네요. 그 전에 매일매일의 운동 기록과 식단 기록을 남기면 블로그에 남겨도 좋을 것 같아요. 누가 아나요? 바디프로필을 주제로 인플루언서가 될지. 블로그를 쓰면서 내 한순간의 소중한 기록을 담은 일기장을 만들 수도 있지만, 나를 브랜딩하는 하나의 파이프라인이 될 수도 있습니다.

- 자신감이 1 상승되었습니다.

운동을 마치고 나면, 오늘도 해냈다는 자부심이 생깁니다. 나가기 싫은데 나간 나를 칭찬하게 되고 힘든데 이 악물고 스쿼트 한 개 더 해낸 나에게 뿌듯함을 느끼게 되고, 무엇보다 거울 속의 나를 보는 순간들이 즐거워집니다.

- 루틴이 생깁니다.

바디프로필을 준비하는 동안 운동 시간이 점점 늘었습니다. 출근을 위해 자동적으로 미라클 모닝을 해야합니다. 일찍 출근해서 아침에 운동을 끝마쳐야 하기 때문이죠. 운동할 시간을 만들기 위해, 운동하기 좋은 컨디션을 만들기 위해 지인들과의 저녁 술자리를 줄이게 됩니다. 친구들과의 약속도 줄고 술도 줄어들게 됩니다.

- 어쩌다 바디프로필 VS 결국엔 바디프로필

어쩌다 바디프로필을 찍을 기회가 생겼고, 어쩌다 바디프로필을 계속 찍게 되었습니다. 2~3번 찍었으니 이제 그만 찍어도 되지 않겠느냐고 나이들어 이런거 하면 골병든다고 말하는 분들이 있습니다. 그럼 바디프로필 준비하면서 식사 주의하고 건강하게 먹기 위해 노력하고 꾸준히 운동하는 사람이 퇴근 후 사람들 만나 술 마시고 일하고 나면 시간이 없다고 운동 안하는 사람들보다 건강이 안좋을까요?

결과를 얻어내기까지 식사를 절제하고 꾸준하게 운동하는 것이 쉽지 않다는 것을 알지만 그럼에도 저는 다시 바디프로필을 찍게 될 것 같습니다.

나에게 필요한 건 완벽한 몸이 아니고 지난 번보다 1% 나아진 모습이니까요. 그 1%가 나를 행동하게 만들어주니까요!